Robert Munsch

Drôle de rose

Illustrations de
Michael Martchenko

Robert Munsch

Drôle de rose

Illustrations de
Michael Martchenko

Texte français de
Christiane Duchesne

Éditions
SCHOLASTIC

Pour Madison Snow,
Orangeville (Ontario)
– R.M.

Le jour où la grand-maman de Madison vient en visite, tout le monde décide d'aller faire un tour en ville.

En face de l'hôtel de ville, Madison s'écrie :

— Regardez! Regardez! Regardez! J'ai trouvé un billet pour me faire peindre le visage gratuitement, au parc!

— Quelle bonne idée! s'exclame la grand-maman de Madison. Allons tous au parc!

Une fois au parc, Madison fait la queue. La file est très, très longue.

Une fille s'approche et lui dit :

— Fais-toi peindre un visage effrayant, comme le mien!

— Non, répond Madison.

Un garçon s'approche et lui dit :

— Fais-toi peindre une face de tigre, comme la mienne!

— Non, répond Madison.
Une autre fille s'approche et lui dit :
— Fais-toi peindre un papillon,
comme le mien!
— NON! répond Madison.

C'est enfin le tour de Madison.

— Ce que je veux, dit-elle à la dame qui peint les visages, c'est une petite rose parfaite qui a l'air vraiment vraie, là, sur ma joue.

—Vraiment vraie? demande la dame.

—Vraiment vraie! répond Madison.

La dame prend beaucoup de temps pour peindre, sur la joue de Madison, une petite rose parfaite qui a l'air vraiment vraie.

— Quelle jolie fleur! dit le papa de Madison. Bon, maintenant, allons dans les boutiques.

À la quincaillerie, pendant que son papa examine les scies et les perceuses, Madison murmure :

— Papa, je crois que ma fleur grandit…

— Bien, dit son papa.

— Papa, murmure encore Madison, regarde! Regarde! REGARDE! S'il te plaît, regarde-moi comme il faut! Ma fleur grandit! Tout à l'heure, j'avais une seule rose, et maintenant, j'en ai deux!

Le papa de Madison observe attentivement le visage de sa fille.

— Oui, il y a bien deux roses, dit-il, une sur chaque joue. Mais je pense qu'elles étaient déjà là, toutes les deux.

Dans la boutique des articles de cuisine, pendant que sa maman regarde les casseroles et les appareils, Madison dit :

— Maman! Ma fleur grandit.

— Bien, dit sa maman.

— Maman, s'écrie Madison, regarde! Regarde! REGARDE! S'il te plaît, regarde-moi comme il faut! Ma fleur grandit! Tout à l'heure, j'avais une seule rose, et maintenant, j'en ai trois.

La maman de Madison observe
attentivement le visage de sa fille.

— Tu as raison, dit-elle. Il y a trois
roses. Je croyais que tu n'en avais
demandé qu'une.

— Oui, c'est ce que j'avais demandé,
réplique Madison.

— Alors, j'imagine que la
maquilleuse a décidé de t'en dessiner
trois, dit sa maman.

Chez le vendeur de crème glacée, pendant que la grand-maman de Madison grignote son cornet, Madison dit :

— Mamie! Ma fleur grandit.

— Bien, dit sa grand-maman.

— Mamie, dit Madison, regarde! Regarde! REGARDE! S'il te plaît, regarde-moi comme il faut! Ma fleur grandit! Tout à l'heure, j'avais une seule rose, et maintenant, j'en ai 24… et je pense qu'une feuille pousse dans mon oreille!

Madison tourne les bras, et sa grand-maman voit 10 roses qui descendent sur chacun d'eux. Puis, sous leurs yeux, une nouvelle rose apparaît au bout de chaque tige.

— Une rose, c'était joli, dit Madison, mais 26, c'est beaucoup trop.

— C'est très grave! s'exclame sa grand-maman.

Elle saisit la main de Madison, et toutes deux se précipitent vers la clinique.

La docteure ne peut rien faire.

— J'en connais long sur les humains, déclare-t-elle, mais je ne sais pas grand-chose au sujet des plantes.

— Allons à la pépinière, propose Madison.

À la pépinière, le vendeur qui se tient
derrière le comptoir s'écrie :
— Du désherbant! Il faut vaporiser du
désherbant sur cette petite!

— AAAAAAAAAAAAAAAAH!
hurle Madison. Pas de désherbant!

— J'ai trouvé! poursuit-elle.
Nous allons traiter mes roses avec
gentillesse. Je vais rentrer à la maison
et faire une sieste. Mais avant, j'aurai
placé un grand pot à côté de mon lit.
Peut-être que les roses décideront
d'aller s'y installer pendant mon
sommeil.

Quand Madison s'éveille, un rosier touffu se dresse dans le pot. Et sur la joue de Madison, il ne reste plus qu'une seule petite rose parfaite.

La grand-maman de Madison emporte le rosier chez elle et le plante dans son jardin. Le rosier reste là... jusqu'au jour où il trouve un meilleur endroit pour s'épanouir.